Des oiseaux bien adaptés

Directeur de collection : Léo-James Lévesque

Don Aker et Samuel Roberts

Table des matières

L'adaptation des oiseaux

un colibri

un nandou

Un colibri vole et aspire le nectar d'une fleur en montrant son beau plumage. À des milliers de kilomètres de là, un nandou cherche des graines dans de hautes herbes. La nuit, à l'autre bout du monde, une effraie des clochers écoute attentivement pour trouver sa proie.

Les oiseaux présentent une étonnante variété de tailles et de formes. Ils habitent les régions polaires, les forêts et les déserts.

La plupart des oiseaux volent. De nombreux oiseaux sautent, courent ou marchent, et certains plongent et nagent. La majorité des oiseaux sont actifs le jour. Par contre, d'autres préfèrent dormir le jour et chasser la nuit.

une effraie
des clochers

Les oiseaux de types différents ne se ressemblent pas et ne se comportent pas tous de la même façon. Les nombreuses différences entre les oiseaux sont le résultat d'**adaptations**.

L'adaptation aide l'être vivant à survivre dans son milieu. Ce phénomène (comme la transformation d'une partie du corps ou d'un comportement) se produit sur une très longue période.

Grâce à ses adaptations, le manchot empereur de l'Antarctique réussit à survivre dans un habitat extrêmement froid.

Pour survivre, un oiseau doit trouver de la nourriture et de l'eau. Il doit aussi se protéger contre le mauvais temps et éviter les prédateurs. Chaque **espèce** compte des membres capables de mieux survivre. Ces oiseaux ont tendance à vivre plus longtemps et à se reproduire plus facilement.

Quand ces oiseaux ont des petits, ils leur transmettent leurs caractéristiques. Les oiseaux qui évoluent mal meurent. Au fil des générations, chaque espèce s'adapte mieux à son habitat par le processus de **sélection naturelle**.

L'évolution des premiers oiseaux

la corneille

Les premiers oiseaux ont vécu il y a des millions d'années. Selon une **hypothèse** scientifique, les oiseaux et les dinosaures descendent d'un ancêtre commun.
Les scientifiques ont observé de nombreuses ressemblances entre les squelettes d'oiseaux et les squelettes des dinosaures. Ils ont aussi découvert des fossiles de dinosaures qui avaient des ailes et des plumes.

Deinonychus

Le squelette d'une corneille ressemble à celui d'un *Deinonychus.* Ce dinosaure carnivore a vécu il y a environ 140 millions d'années. Il se déplaçait très rapidement.

de longues plumes

On a découvert en Europe centrale un fossile de ce qu'on croit être le premier oiseau, *Archaeopteryx*. Il avait à peu près la taille d'une corneille.

une aile de rollier

La capacité de voler

Les scientifiques ignorent comment les ancêtres des oiseaux ont commencé à voler. Ces ancêtres étaient peut-être des animaux à **écailles**. Ces animaux vivaient dans le haut des arbres et planaient d'une branche à l'autre.

Un animal à écailles longues aurait plané plus loin qu'un animal à écailles courtes. Les écailles longues auraient ralenti la chute de l'animal pendant son vol plané.

Leur capacité de planer aurait aidé les animaux à écailles longues à éviter les **prédateurs**. Ainsi, ils auraient été plus aptes à survivre et à transmettre ces caractéristiques à leurs **descendants**. On croit que ces écailles sont devenues des plumes avec le temps.

Comment les oiseaux volent-ils?

La structure des ailes et la légèreté des os sont deux caractéristiques qui permettent aux oiseaux de voler. Les oiseaux ont des ailes plumées fortes et souples. Elles les aident à s'envoler. Les oiseaux ont aussi des os très légers et souvent creux. La légèreté des os est importante, parce que des os lourds empêcheraient les oiseaux de voler.

Le rôle des plumes duveteuses

Selon certains, les oiseaux descendent d'animaux dinosauriens qui couraient sur leurs pattes arrière. Pour courir ainsi, ces animaux devaient tenir leurs muscles chauds. On pense que les plumes duveteuses **isolantes** se sont développées pour garder les muscles au chaud.

Si cette idée est juste, les premières plumes ont probablement aussi aidé les animaux à garder leur équilibre et à sauter haut. Ces plumes leur auraient permis de devenir de bons chasseurs. Une telle habileté aurait augmenté leurs chances de survie. Avec le temps, les plumes ont évolué, et les oiseaux ont fini par pouvoir voler.

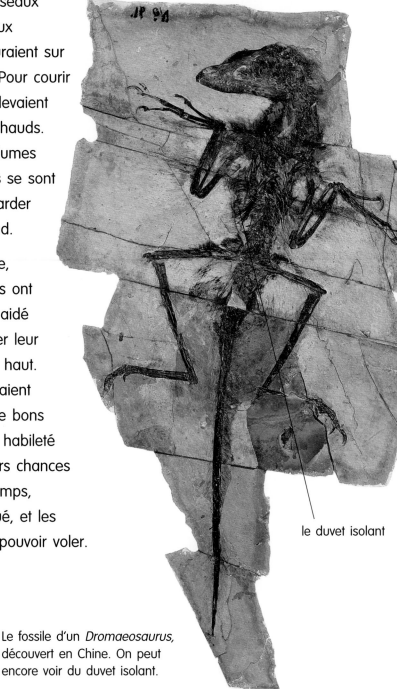

le duvet isolant

Le fossile d'un *Dromaeosaurus,* découvert en Chine. On peut encore voir du duvet isolant.

À l'automne, les outardes s'envolent vers des climats plus chauds.

Les avantages du vol

Comment la capacité de voler a-t-elle changé l'avenir des premiers oiseaux? Comme toutes les adaptations réussies des animaux, cette capacité améliorait leurs chances de survie.

Le vol permet aux oiseaux d'aller chercher leur nourriture au loin et d'échapper au danger. Il leur permet aussi de migrer d'un milieu froid vers un milieu chaud.

Chaque printemps, les outardes s'envolent vers le Canada et l'Alaska pour se reproduire. À l'automne, elles s'envolent vers le Mexique et le sud des États-Unis pour profiter du climat chaud de ces régions.

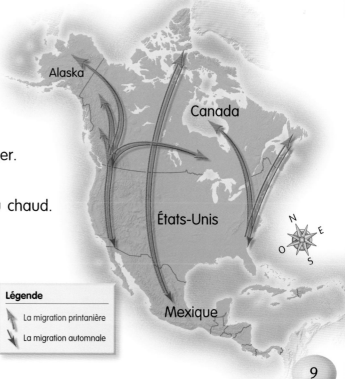

Alaska

Canada

États-Unis

Mexique

Légende

↗ La migration printanière

↘ La migration automnale

Les adaptations physiologiques

Il est clair que le vol a été une adaptation réussie. Mais il a créé le besoin d'autres adaptations. Les oiseaux ont dû développer une façon de tenir les objets et les proies. Avec le temps, leur bec et leurs pattes ont évolué.

Les os des oiseaux sont creux. Cette adaptation donne aux oiseaux des os légers mais résistants.

Les oiseaux ont dû aussi devenir plus légers. Ils ont développé des os creusés de poches d'air. Les anciens «dinosaures-oiseaux» avaient des dents. Mais les oiseaux d'aujourd'hui n'en ont pas, parce que des mâchoires dentées seraient trop lourdes. À la place des dents, les oiseaux possèdent un gésier, c'est-à-dire des muscles dans l'estomac pour broyer la nourriture. Ils ont aussi un jabot à la base du cou, où ils stockent les aliments et les préparent à la digestion. Les changements de ce genre, qui transforment le corps d'un animal, sont des adaptations physiologiques.

L'anatomie
d'un oiseau.

les poumons

le jabot

le bec

le cœur

le gésier

les pattes

Les adaptations éthologiques

Les oiseaux pondent des œufs à coquille dure. Leurs ancêtres pondaient leurs œufs sur la terre, non dans l'eau comme d'autres animaux. La coquille dure était le résultat d'une adaptation physiologique qui empêchait les œufs de sécher.

De même, les oisillons naissent avec seulement quelques plumes et risquent de se refroidir vite. D'une génération à l'autre, les premiers oiseaux ont appris à soigner leurs petits et à les garder au chaud pour qu'ils survivent. C'est un exemple d'**adaptation éthologique**.

Le ptilope superbe d'Australie se tient sur ses œufs pour les garder au chaud.

Les petits du rhipidure à collier ont constamment besoin de nourriture.

11

l'autruche

le serin

l'aigle

Les adaptations : une question de survie

Tous les oiseaux ont des plumes et pondent des œufs. Cependant, chaque espèce a une apparence et un comportement qui lui sont propres. Le serin ne ressemble pas plus à l'autruche que le toucan au diamant de Gould. Les oiseaux ont des apparences différentes parce que chaque espèce a subi des adaptations physiologiques et éthologiques qui lui permettent de survivre dans son habitat. Examinons quelques-unes des façons dont les oiseaux se sont adaptés à leur habitat.

la grive

le diamant de Gould

le toucan

le cygne noir

Le mouvement des oiseaux

Tous les oiseaux ont des ailes faites de plumes. Ces ailes ont cependant des formes et des tailles variées. Les ailes sont adaptées au genre de vol de chaque espèce d'oiseaux.

Les oiseaux qui volent

En général, les oiseaux qui passent la plupart de leur temps à voler ont des ailes étroites et courbées vers l'arrière. Ces ailes leur assurent une meilleure portance et leur permettent de rester dans les airs sans dépenser beaucoup d'énergie. Les oiseaux qui volent sur de courtes distances ont des ailes larges et arrondies. Ces ailes sont idéales pour les virages brusques et les accélérations soudaines.

Le martinet mange et boit dans les airs. Il ne touche le sol que pour dormir ou faire un nid.

Les types de plumes

Le **duvet** sert d'isolant.

Les **plumes du corps** servent surtout à la protection et à l'isolation.

Les **plumes de la queue** peuvent servir à la direction, à l'équilibre ou à la parade.

Les **plumes des ailes** permettent le vol.

L'envol et le vol stationnaire exigent des battements d'ailes très rapides. Le vol stationnaire demande beaucoup d'énergie; seuls quelques oiseaux en sont capables. Le colibri est très léger. Les articulations particulières de ses ailes lui permettent de voler sur place. D'autres oiseaux, comme la crécerelle, peuvent voler sur place brièvement, à l'aide du vent.

En vol stationnaire, la crécerelle guette ses proies.

De nombreux oiseaux ont développé des façons de voler qui demandent moins d'énergie que les battements. Il suffit de regarder la forme de leurs ailes. Le goéland, par exemple, a des ailes longues et fines qui lui permettent de planer. Quant au vautour, qui a des ailes larges, il utilise la portance de l'air chaud pour s'élever très haut en seulement quelques battements.

Grâce à ses longues ailes étroites, l'albatros royal peut voler sur des kilomètres au-dessus de l'océan.

Les oiseaux qui ne volent pas

Certains oiseaux ne peuvent pas voler parce qu'ils n'en ont pas besoin. Avec le temps, ils ont perdu cette habileté que leurs ancêtres avaient.

Les manchots ne volent pas parce qu'ils vivent dans un habitat où le vol ne les aiderait pas à survivre. Comme leur nourriture se trouve dans l'eau, ils doivent plutôt savoir plonger et nager. Ils se servent de leurs ailes pour se propulser et pourchasser des poissons.

L'émeu est le plus grand oiseau indigène de l'Australie et le deuxième plus grand oiseau coureur du monde. Il peut atteindre 2 m de hauteur. Son dos est couvert de plumes douces de couleur gris-brun, et ses pattes sont longues et puissantes. Chacune de ses pattes est terminée par trois doigts.

D'autres oiseaux tels que l'autruche, le nandou et le casoar sont trop lourds pour voler. Ces oiseaux coureurs comptent davantage sur leurs pattes que sur leurs ailes. Ils courent pour échapper au danger. Ils donnent de puissants coups de pattes quand ils sont dans une situation très difficile.

Le kiwi est un oiseau coureur. Il s'est adapté à la vie dans les îles de la Nouvelle-Zélande. Comme il n'y a pas beaucoup de prédateurs sur ces îles, le kiwi n'a pas besoin de voler.

Le manchot royal est bien adapté à son habitat. Il a des ailes qui, comme des nageoires, le propulsent dans l'eau. Ses os denses réduisent sa flottabilité.

15

Les pattes

Tous les oiseaux ont deux pattes. Cependant, les pattes sont très différentes selon les espèces. Ces différences sont le résultat d'adaptations à un milieu particulier.

Les oiseaux courent, marchent et sautent. Certains grimpent aux arbres en s'agrippant à l'écorce à l'aide de leurs doigts. Des oiseaux aquatiques comme les canards se servent de leurs palmes pour avancer et se diriger dans l'eau. Le martinet a de petites pattes parce qu'il passe la majeure partie de son temps dans les airs et qu'il ne touche presque jamais le sol.

Les pattes et les doigts

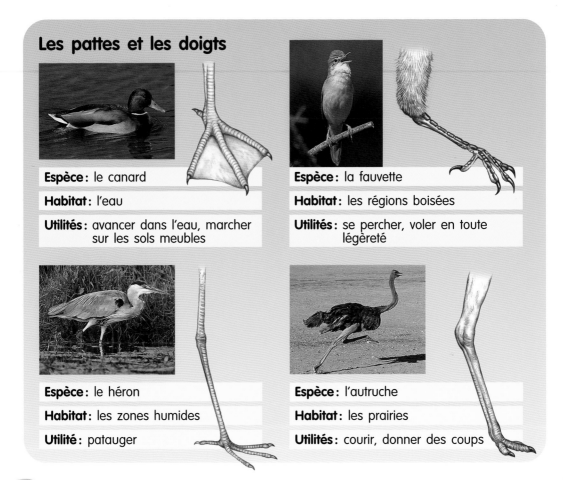

Espèce : le canard

Habitat : l'eau

Utilités : avancer dans l'eau, marcher sur les sols meubles

Espèce : la fauvette

Habitat : les régions boisées

Utilités : se percher, voler en toute légèreté

Espèce : le héron

Habitat : les zones humides

Utilité : patauger

Espèce : l'autruche

Habitat : les prairies

Utilités : courir, donner des coups

La nourriture des oiseaux

Tous les oiseaux doivent manger. Certains mangent des plantes. D'autres se nourrissent d'insectes, de poissons et d'autres animaux. Quelques-uns mangent de la charogne, c'est-à-dire de la chair d'animaux morts.

L'alimentation varie selon les espèces. Elle dépend de ce que l'habitat a à offrir. Grâce à leurs adaptations, les oiseaux réussissent à trouver dans leur milieu suffisamment de nourriture pour survivre.

Les oiseaux se sont adaptés à leurs milieux. On peut observer les adaptations physiologiques dans la façon dont les oiseaux utilisent leur bec, leurs pattes et leurs doigts pour se nourrir, et dans la façon dont ils utilisent leurs sens. Chaque oiseau a aussi un système digestif adapté à ce qu'il mange. Les adaptations éthologiques, comme le vol en formation, la poursuite des proies et la chasse de nuit, aident aussi les oiseaux à trouver de la nourriture.

Le secrétaire, oiseau d'Afrique qu'on appelle aussi «serpentaire», se nourrit de reptiles. Avec ses puissants doigts, il piétine sa proie puis la lance au sol pour l'assommer.

Le flamant rose vit en Europe, en Afrique et en Asie. Il mange les petites crevettes des salines, que peu d'animaux peuvent tolérer.

17

Un bec pour chaque chose

Les oiseaux n'ont ni mains ni dents. Pour attraper, tenir, broyer, fendre et transporter leur nourriture, ils se servent de leur bec et de leurs doigts. Les becs des oiseaux sont de formes et de tailles variées. Chaque oiseau a un bec adapté à ses besoins. En général, la forme du bec nous renseigne sur la façon de manger de l'oiseau. Les oiseaux qui trouvent leur nourriture en fouillant ont de longs becs fins. Les oiseaux de rivage, comme le courlis, fouillent les fonds vaseux à la recherche de crustacés. La bécasse des bois, qui fouille en quête de vers de terre, a un organe particulier au bout de son bec. Cet organe perçoit le mouvement, ce qui aide l'oiseau à trouver des vers.

Il y a des becs qui filtrent l'eau et la nourriture comme des tamis. À l'aide des fentes de son bec, le flamant tamise l'eau et garde les morceaux de nourriture. De nombreux canards font la même chose.

Les oiseaux qui mangent des graines ont un bec résistant pour fendre ou écraser leur nourriture. Leur bec est conique et court. Les pinsons, les moineaux et les cardinaux sont granivores, comme on le devine à leur bec.

Les becs crochus arrachent et déchirent la chair. Ils conviennent parfaitement aux oiseaux qui mangent des animaux trop gros pour être avalés d'un seul trait. Les faucons, les aigles et les hiboux ont des becs crochus.

Les becs

Bec : pointu

Espèce : le héron

Nourriture : le poisson

Habitat : les zones humides

Bec : en tamis

Espèce : le flamant

Nourriture : algues, insectes et crevettes

Habitat : les marais

Les oiseaux qui mangent des fruits, comme le perroquet, ont un bec crochu. Cette forme de bec les aide à percer la chair des fruits. La base large du bec est parfaite pour fendre les graines.

Bec : conique

Espèce : le pinson

Nourriture : les graines

Habitat : les régions boisées

Bec : long, tactile

Espèce : la bécasse

Nourriture : les vers de terre et les invertébrés

Habitat : les sols mous

Bec : crochu

Espèce : le perroquet

Nourriture : les fruits et les graines

Habitat : les forêts tropicales

Bec : crochu

Espèce : le vautour

Nourriture : la charogne

Habitat : les lieux ouverts

Des doigts spécialisés

Le balbuzard d'Amérique du Nord vit le long de la côte. Grâce à ses doigts bien adaptés, il peut tenir le poisson qu'il attrape.

Les oiseaux ont aussi subi d'autres adaptations qui leur permettent d'attraper et de manger leur nourriture. La plupart des oiseaux de proie possèdent des serres (ou griffes) pour saisir et tenir leurs proies. Certains oiseaux qui attrapent du poisson, comme le balbuzard, ont des écailles aux doigts pour mieux retenir leurs proies glissantes.

L'oiseau prédateur tient la nourriture avec ses doigts. Avant de l'avaler, il la déchire en petits morceaux avec son bec. Le perroquet utilise ses doigts de la même façon, mais il mange des fruits. Il tient le fruit et le tourne pour accéder plus facilement aux graines.

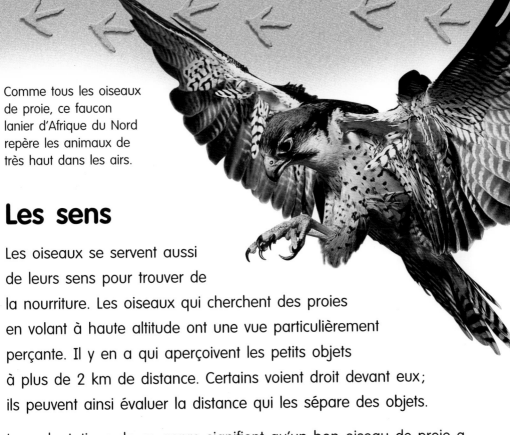

Comme tous les oiseaux de proie, ce faucon lanier d'Afrique du Nord repère les animaux de très haut dans les airs.

Les sens

Les oiseaux se servent aussi de leurs sens pour trouver de la nourriture. Les oiseaux qui cherchent des proies en volant à haute altitude ont une vue particulièrement perçante. Il y en a qui aperçoivent les petits objets à plus de 2 km de distance. Certains voient droit devant eux; ils peuvent ainsi évaluer la distance qui les sépare des objets.

Les adaptations de ce genre signifient qu'un bon oiseau de proie a de meilleures chances de survivre et de transmettre ses caractéristiques à ses descendants. Les adaptations constatées aujourd'hui résultent de petits changements accumulés au fil des générations.

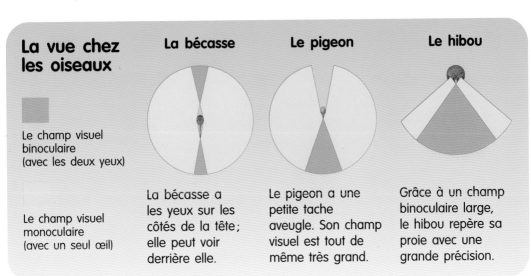

La vue chez les oiseaux

Le champ visuel binoculaire (avec les deux yeux)

Le champ visuel monoculaire (avec un seul œil)

La bécasse

La bécasse a les yeux sur les côtés de la tête; elle peut voir derrière elle.

Le pigeon

Le pigeon a une petite tache aveugle. Son champ visuel est tout de même très grand.

Le hibou

Grâce à un champ binoculaire large, le hibou repère sa proie avec une grande précision.

Le pic vert d'Europe compte sur son ouïe pour trouver des larves dans les arbres.

L'ouïe est plus développée chez les oiseaux qui ne peuvent pas bien voir leur nourriture. Le hibou qui chasse de nuit peut entendre les souris et les attaquer. Le pic-bois ne voit pas les insectes sous l'écorce des arbres, mais il les entend.

Certains oiseaux ont un bon odorat. L'urubu à tête rouge se nourrit d'animaux morts. Il sent la chair en décomposition sans la voir. Le kiwi est un oiseau **nocturne**. Il utilise surtout son odorat pour trouver les graines, les petits fruits et les vers qui composent sa nourriture.

Le goût

Le goût ne semble pas un sens important chez la plupart des oiseaux. Cependant, ceux qui se nourrissent de nectar et de fruits semblent préférer les goûts sucrés. Les oiseaux ne possèdent que quelques papilles gustatives au fond de leur cavité buccale.

L'urubu à tête rouge habite des régions qui s'étendent du sud du Canada au sud de l'Argentine. L'odeur des animaux morts l'attire.

Trouver de la nourriture

Les adaptations éthologiques aident aussi les oiseaux à trouver de la nourriture. Il s'agit parfois d'adaptations sociales. De nombreuses espèces d'oiseaux volent en groupe. Lorsqu'un oiseau trouve de la nourriture, d'autres oiseaux de la volée en profitent aussi. Certains oiseaux chassent seuls, mais ils observent le comportement d'autres oiseaux de la région. Dès qu'un oiseau trouve à manger, les autres se joignent à lui.

Le héron garde-bœufs suit souvent les animaux qui broutent de l'herbe. Cela lui permet de manger les insectes qu'ils éloignent avec leurs pattes. Le pique-bœuf monte carrément sur le dos de grands mammifères. Il mange les tiques et les poux qu'il trouve dans leur fourrure.

En Afrique, en Amérique centrale, en Amérique du Sud, aux États-Unis et dans les Antilles, le héron garde-bœufs suit les animaux qui broutent de l'herbe.

Grâce à ses griffes pointues, le pique-bœuf à bec jaune s'agrippe aux grands animaux.

Des outils efficaces

Il mange de la glaise

L'ara rouge des forêts tropicales d'Amazonie mange surtout des fruits et des graines, mais aussi de la glaise. Certaines graines renferment des substances chimiques toxiques. Les scientifiques croient que l'ara rouge mange de la glaise parce qu'elle absorbe ces substances toxiques.

Certains oiseaux ont un mode d'alimentation qui demande des outils. Le goéland soulève les crustacés haut dans les airs puis les frappe sur les roches pour les fendre. Certains hérons laissent tomber des morceaux de plumes sur l'eau comme appâts. Dès qu'un poisson se présente, le héron l'attrape.

La pie-grièche a aussi ses outils. La pie-grièche attrape des insectes, des vers et de petits animaux, y compris des oiseaux. Elle pique ensuite sa proie sur une brindille, une épine ou un fil barbelé pour qu'elle ne s'échappe pas avant le prochain repas.

Pour vivre et voler, les oiseaux ont besoin d'une grande quantité de nourriture. Tous les oiseaux qui existent aujourd'hui se sont adaptés en fonction de leurs besoins alimentaires. Une espèce qui ne pourrait plus trouver suffisamment de nourriture risquerait de disparaître.

Ce corbeau calédonien des îles du Pacifique se sert d'une brindille pour déloger une larve sur un arbre.

Les adaptations de survie des oiseaux

Le monde est un endroit dangereux pour les oiseaux. Les conditions météorologiques sont parfois difficiles. Un oiseau peut aussi représenter un bon repas pour un autre animal. Cependant, les oiseaux possèdent plusieurs caractéristiques qui les protègent des dangers de leur habitat.

Le pélican à lunettes se rafraîchit en agitant sa grande poche de peau.

Maintenir la bonne température

La température du corps des oiseaux reste constante et élevée même si celle du milieu extérieur varie. Ainsi, leurs muscles travaillent bien à des températures très variées.

Les animaux à sang chaud (homéothermes) ont toutefois besoin d'adaptations particulières pour maintenir une température idéale. Quand ils se réchauffent trop, ils respirent difficilement. Les oiseaux doivent alors se rafraîchir. Ils se trempent dans l'eau ou vont à l'ombre.

Le marabout d'Afrique se garde au frais en excrétant le long de ses pattes.

En Europe, au Moyen-Orient et en Asie occidentale, le rouge-gorge hérisse ses plumes pour se tenir au chaud par temps froid.

Par temps froid, les plumes procurent une excellente isolation et aident les oiseaux à se tenir au chaud. Les oiseaux peuvent même augmenter la capacité isolante de leurs plumes en les hérissant pour emprisonner des poches d'air. De plus, ils frissonnent pour se réchauffer, mais cela leur demande beaucoup d'énergie.

Quand le temps se refroidit, de nombreux oiseaux migrent vers des climats plus doux. La migration exige beaucoup d'énergie, et les oiseaux ne survivent pas tous au voyage. En général, la capacité de migrer aide cependant les espèces à survivre. Le temps froid annonce habituellement une diminution des sources de nourriture. L'oiseau migrateur améliore donc ses chances de trouver à manger en s'envolant vers un lieu plus chaud.

La sterne arctique migre plus loin que tous les autres oiseaux. Chaque année, elle vole de l'Arctique à l'Antarctique et revient en Arctique.

Éviter les prédateurs

Assurer sa sécurité, c'est aussi éviter
les prédateurs. Le vol constitue un énorme
avantage. Mais le **plumage** de certains
oiseaux est aussi d'une grande aide.
Il leur permet de se camoufler et de
se cacher. Les couleurs et les motifs
du plumage de ces oiseaux ont évolué
de manière à se confondre avec le milieu.
Quand ces oiseaux restent immobiles
et silencieux, ils ressemblent tellement
à leur milieu que chasseurs et prédateurs
ont de la difficulté à les distinguer.

Avec ses plumes brunes, la bécasse
d'Amérique disparaît dans le tapis
du boisé.

Certains oiseaux tels que le lagopède
utilisent le camouflage, peu importe
la saison. L'été, leurs plumes brunes
les aident à se confondre avec leur milieu.
À l'automne, les plumes brunes tombent.
Elles sont remplacées par des plumes
blanches qui rendent ces oiseaux difficiles
à distinguer dans la neige.

Le lagopède des saules vit
dans les hautes régions
dénudées d'Amérique
du Nord, de Russie et
de Scandinavie. Il affiche
un plumage blanc en
hiver et brun en été.

Faire sa toilette

Les oiseaux ont acquis différents comportements pour entretenir leur plumage. Certains oiseaux se baignent et se nettoient de diverses façons. Pour garder leurs plumes et leur peau propres, ils utilisent de l'eau, de la poussière et même des fourmis.

Les oiseaux lissent aussi leurs plumes. Ils hérissent alors leurs plumes puis les nettoient et les peignent avec leur bec et parfois leurs doigts. Chez certaines espèces, les oiseaux se lissent les uns les autres.

L'araçari à oreillons roux vit dans les forêts du nord et du centre de l'Amérique du Sud. Comme beaucoup d'oiseaux, il se sert de son bec pour nettoyer et lisser ses plumes.

En Grande-Bretagne, les perdrix rouges prennent des bains de poussière.

Comme la plupart des oiseaux qui volent, le fou de Bassan, pendant la mue, perd une plume par aile à la fois pour maintenir son équilibre.

Le cormoran impérial de la péninsule antarctique huile ses plumes de dessous et fait sécher ses ailes à l'air.

Pendant sa toilette, l'oiseau fait plus que lisser et nettoyer ses plumes. Il se frotte le bec sur sa **glande uropygienne**, qui sécrète une huile, puis il enduit ses plumes de cette huile. L'huile empêche les plumes de se dessécher. Le canard et de nombreux autres oiseaux aquatiques ont une glande uropygienne de grande taille qui leur permet d'imperméabiliser leur plumage. Pour les oiseaux, la sécurité passe par des plumes en bon état.

En dépit des bons soins, les plumes s'usent, tombent et repoussent. C'est la mue. Pour de nombreux oiseaux, la mue se produit à certaines périodes de l'année, souvent au printemps et à l'automne. Le cycle de mue dépend de l'espèce.

L'adaptation et la reproduction

Pour continuer d'exister, toute espèce d'oiseaux doit se reproduire. Pour se reproduire, il faut d'abord trouver un ou une partenaire.

Trouver un ou une partenaire

De nombreuses espèces d'oiseaux se sont adaptées pour attirer des partenaires. Certains oiseaux ont un plumage de couleur vive, d'autres exécutent une danse complexe, chantent ou produisent des sons. Pour attirer les femelles, les mâles peuvent montrer le plumage voyant de leur queue ou gonfler leur goitre, la partie antérieure du cou. Certains oiseaux vont même jusqu'à réaliser des acrobaties en vol pour attirer des partenaires.

La frégate mâle de la mer des Caraïbes et des îles Galápagos gonfle son goitre rouge vif.

Une grue couronnée d'Afrique exécute une danse pour attirer une femelle.

Les couleurs vives et les schèmes de vol complexes attirent l'attention. Seuls les oiseaux les plus aptes peuvent dépenser l'énergie nécessaire aux parades. Comme ce sont ces oiseaux-là qui transmettront leurs caractéristiques aux générations suivantes, les parades sont de plus en plus élaborées.

Certains oiseaux attirent aussi les partenaires à l'aide de chants. D'autres oiseaux, plutôt que de chanter, tambourinent avec leurs ailes ou leur bec sur un morceau de bois.

les plumes du déploiement de la queue

Dans sa parade pour attirer une femelle, le ménure superbe d'Australie chante en déployant les plumes de sa queue.

Construire un nid

Lorsqu'ils ont trouvé des partenaires, la plupart des oiseaux construisent des nids. Ils choisissent des endroits où leurs œufs et leurs oisillons seront à l'abri du mauvais temps et des prédateurs. La construction du nid varie selon l'habitat.

Les oiseaux se sont adaptés aux matériaux disponibles. Certains font des nids de brindilles, de branches, de mousse ou de boue. La plupart de ces nids sont bien cachés. D'autres oiseaux nichent dans des bancs de boue, des arbres creux ou même des immeubles.

De nombreux oiseaux marins se reproduisent en colonies et se contentent de quelques cailloux pour marquer les limites du nid. Ces oiseaux s'installent près de leur source d'alimentation, mais l'habitat littoral offre peu de matériaux de nidification. Pour protéger leurs œufs contre le froid, les manchots les tiennent sur leurs pattes.

Le jabiru construit un grand nid dans un arbre. Il trouve sa nourriture dans les marais et autres terres humides.

Les guillemots à miroir nichent en colonies le long des côtes de l'océan Atlantique nord.

La rousserolle effarvate construit un nid autour des tiges de roseaux.

Des œufs bien adaptés

Les adaptations de nidification protègent
les oiseaux, leurs œufs et leurs petits. Les œufs
se présentent dans une variété de formes et
de tailles. Les œufs de nombreuses espèces
ont des couleurs et des motifs qui se confondent
avec le milieu. Le bécasseau, le pluvier et
d'autres oiseaux pondent dans des nids installés
au sol. Leurs œufs se fondent avec l'herbe
ou les petits cailloux. Les oiseaux qui pondent
leurs œufs dans des trous sombres ont moins
besoin de camouflage. En général, leurs œufs
sont blancs.

La forme d'un œuf dépend souvent de
l'endroit où il est pondu. Les œufs des hiboux
sont déposés à l'intérieur des arbres;
ils ont donc tendance à être ovales.
Ceux du guillemot, qui sont pondus sur
des falaises, ont une forme de poire
qui les empêche de rouler.

un œuf
de coucou

un œuf
de pluvier

un œuf
de hibou

un œuf
de guillemot

un œuf
d'autruche

Les soins aux petits

La fauvette à tête noire
vit en Europe et en Afrique.
Elle naît sans plumes
et les paupières soudées.

Toutes les espèces d'oiseaux qui existent aujourd'hui ont développé des façons efficaces de prendre soin de leurs petits. Certains oisillons naissent avec des plumes. À peine quelques heures après l'éclosion, ces oisillons sont capables de quitter le nid. Ils peuvent s'éloigner de leur famille, mais ils restent en contact à l'aide d'appels.

D'autres oisillons naissent sans plumes et totalement dépendants. En général, les deux parents s'occupent de ces oisillons. Ils les nourrissent, les réchauffent et nettoient le nid. De plus, les parents protègent leurs petits contre les prédateurs jusqu'à ce qu'ils puissent prendre soin d'eux-mêmes.

Dès l'éclosion, la caille des blés d'Europe, d'Afrique et d'Asie orientale est prête à quitter le nid, mais elle a encore besoin de soins.

Une cane colvert empêche une avocette en maraude d'attaquer ses petits.

Certains oiseaux collaborent quand il s'agit de repousser un intrus qui représente une menace pour leurs petits. Ce comportement porte le nom de «houspillage». Les oiseaux volent vers le prédateur, le pourchassent et peuvent même l'attaquer en piqué pour l'éloigner de leur nid.

D'autres oiseaux, surtout ceux qui nichent au sol, font semblant d'être blessés lorsqu'ils se sentent menacés. Pour attirer un prédateur loin de ses petits, un parent peut boiter légèrement comme s'il avait une aile brisée. Le prédateur n'hésite pas à suivre le parent, le prenant pour une proie facile. Lorsque le prédateur est suffisamment loin du nid, le parent s'envole, éloigne le prédateur et rentre au nid.

Les oiseaux en voie de disparition

Parfois, même des espèces bien adaptées à leur habitat ne survivent pas. Une espèce dont la population diminue peut être **en voie de disparition**. Selon les scientifiques, plus de 90 % des espèces d'oiseaux qui ont existé sont disparues. Une des raisons qui expliquent ce phénomène est la compétition pour les ressources, comme la nourriture et les sites de nidification. La transformation des habitats est une autre raison.

Les étourneaux sont originaires d'Europe et d'Asie, mais ils sont présents presque partout dans le monde. Aujourd'hui, ils représentent l'une des espèces les plus communes sur bien des continents. Les étourneaux nichent au creux des arbres, des structures et même des édifices. D'autres oiseaux qui nichent dans les cavités, comme le merle bleu et le pic à tête rouge, doivent donc rivaliser avec les étourneaux pour l'espace. Les autres oiseaux ont plus de mal à survivre parce que les étourneaux sont agressifs et qu'ils peuvent s'emparer d'un nid habité et pousser les œufs au dehors.

Les étourneaux sansonnets sont répandus dans beaucoup d'endroits, dont l'Amérique du Nord, l'Australie, l'Asie, l'Afrique du Nord et l'Europe.

Les changements qui touchent l'habitat et le milieu

Tout changement dans les conditions de vie peut affecter une espèce. Quelques saisons sèches – une sécheresse – peuvent changer la végétation d'un lieu. Lorsque des plantes meurent, les oiseaux qui mangent les graines de ces plantes ne trouveront peut-être pas assez de nourriture pour survivre. Par contre, les oiseaux qui se nourrissent des graines de plantes qui aiment la sécheresse pourront profiter de ces conditions.

Certains changements environnementaux sont plus radicaux, comme les incendies, les inondations et les éruptions volcaniques. Les oiseaux qui s'adaptent rapidement et qui mangent différents types d'aliments survivront à ces changements environnementaux plus facilement que les oiseaux qui ont des besoins particuliers.

le spizin
de Cocos

le géospize
à gros bec

le géospize
à bec moyen

le géospize
modeste

le géospize
olive

Le bec de chacun de ces pinsons des îles Galápagos et Cocos est adapté en fonction d'un genre particulier de graines.

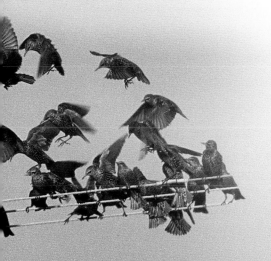

Les drontes ont vécu à l'île Maurice, dans l'océan Indien. Les humains les tuaient pour leur chair. Incapables d'évoluer assez rapidement pour survivre, les drontes ont disparu.

Les oiseaux ont beaucoup de choses à nous apprendre sur l'environnement.

Le facteur humain

Les adaptations ne peuvent pas suivre le rythme rapide des changements environnementaux causés par les êtres humains. En coupant ou en brûlant les forêts, en remblayant les zones humides et en construisant des villes, les gens détruisent de nombreux habitats. Toutes les espèces qui dépendent de ces habitats en souffrent.

Un peu partout dans le monde, des gens étudient les effets du comportement humain sur les populations d'oiseaux. Plusieurs d'entre eux tentent de changer les lois pour protéger certaines espèces d'oiseaux.

Lorsqu'on sauve des oiseaux de la disparition, on en profite de plusieurs manières. Les oiseaux nourrissent les humains depuis des milliers d'années. Certaines personnes observent les oiseaux pour leur plaisir, mais d'autres les observent pour déceler des signes qui concernent la santé de l'environnement. Une diminution de la population d'oiseaux peut signifier que l'environnement se porte mal. Plus on en sait sur les oiseaux, plus on est en mesure de les aider à survivre et d'améliorer leur coexistence avec les humains.

Glossaire

adaptation éthologique un comportement héréditaire qui aide un être vivant à survivre dans son habitat

adaptations les changements qui touchent le corps ou les comportements d'une espèce au fil des générations et qui aident l'espèce à survivre dans son milieu

descendants les organismes qui naîtront dans une famille ou un groupe

écailles les petites plaques minces et dures qui recouvrent la peau de certains reptiles, de certains poissons ainsi que les pattes de certains oiseaux

en voie de disparition se dit d'une espèce dont la population est si petite qu'elle risque de disparaître

espèce une classe d'êtres vivants qui possèdent les mêmes caractéristiques et qui sont capables de se reproduire entre eux

glande uropygienne la glande qui sécrète une huile avec laquelle les oiseaux lissent leurs plumes et les rendent imperméables

hypothèse une explication proposée

isolantes la caractéristique d'une matière qui empêche les pertes de chaleur

nocturne qui est actif la nuit

plumage l'ensemble des plumes d'un oiseau

prédateurs les animaux qui attrapent et mangent d'autres animaux

sélection naturelle le processus selon lequel les individus les mieux adaptés à un milieu sont ceux qui ont le plus de chances de survivre

Index